하남모범평생교육센터 작가 디카詩 작품집

나도 작가다

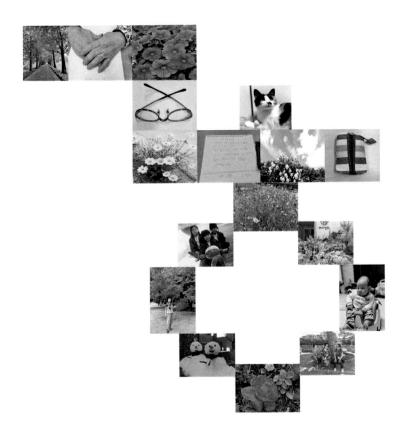

강복주
김영옥
김원자
모현숙
송부돌
신영자
이영임
이위자
임납금
황경자

나도 작가다

발 행 | 2023년 12월 24일
저 자 | 강복주, 김영옥, 김원자, 모현숙, 송부돌, 신영자, 이영임
        이위자, 임납금, 황경자
펴낸이 | 한건희
펴낸곳 | 주식회사 부크크
출판사등록 | 2014.07.15.(제2014-16호)
주 소 | 서울특별시 금천구 가산디지털1로 119 SK트윈타워 A동 305호
전 화 | 1670-8316
이메일 | info@bookk.co.kr

ISBN | 979-11-410-6117-3

www.bookk.co.kr

하남모범평생교육센터 작가 디카詩 작품집

나도 작가다

강복주
김영옥
김원자
모현숙
송부돌
신영자
이영임
이위자
임납금
황경자

차　　례

축사

네 번째 시집 "나도 작가다"

하남모범평생교육센터 이사장 박희숙

 문해교육은 단지 문자를 배우고 익히는 것을 넘어 삶의
의미를 만들고 더 나은 삶을 살게 하는 희망과 소통의 과정
입니다.

예순, 일흔, 여든을 넘겨 두려움과 부끄러움을 무릅쓰고 글을
배운 문해교육 학습자들의 시는 감동으로 다가와 저절로
눈물이 납니다.

세상을 읽고 나를 쓰다. 그리고 시로 노래하다!

2023년 인생의 어느 멋진 날에 시인이 되어 나를 표현하는 멋진 꿈이 현실이 되었습니다.

하남모범평생교육센터와 인연을 맺은지 24년이 되어갑니다.
10년 이상을 문해 현장에서 학습자들과 함께 웃고 울며 같이 나이 들어 가며 행복해하시는 선생님들께도 감사의 말씀을 전합니다.

네 번째 시집 "나도 작가다"를 발간하게 되어 매우 기쁩니다.
달팽이처럼 느리고 더딘 열 분의 작가님들!

진주보다 영롱한 광채를 품은 도전은 빛났습니다.

이제 더 넓은 세상을 향해 나아가는 또 다른 꿈을 꾸어 보시기를 바랍니다.
작가님으로 등단하심을 진심으로 축하드립니다.

2023. 12. 24

■ 강 복 주

딸 셋의 엄마.

손주 여섯의 할머니.

항시 남에게 피해 주지 말고

열심히 착하게 살아라.

나도 인생의 신조로 살아왔고

살아갈 것이다.

건강해라.

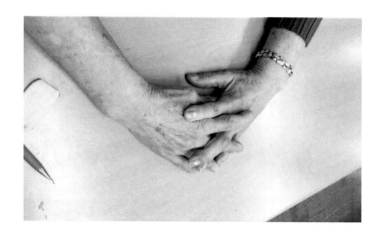

장하다   내손

강복주

건강하게   함께

살다   왔다   고맙다

건강하게   딸셋 키워 왔다

자랑스 럽다

지금도   건강하니   행복하다

■ 강복주

나무

강복주

앙상한   나무

가을엔   단풍이 지네

이제는   앙상한 나무
겨울을   이기고
새싹이   돋겠지

■ 강복주

시아버지 제삿날

강복주

배추 걸러 맛있게 양념해 겉절 담그고

여름내 농사지어 불려 놓은 단감 배 생선

떡 전 상다리가 휘어지게 시누 시동생

동서 가족이 다 모였네

집에 오는길 쌀 담아주는 시동생

가을

강 복주

나 엽이 지고

쌀쌀한 내 마음을 말해주에

아 ~

겨울이 오는 소리

쓸쓸한 내 마음 달래주네

■ 강복주

우리 딸들

건강했으면 좋겠다

우리 지연이, 수연이, 미연이

사랑한다

엄마는 항시 너희들 걱정이다

■ 강복주

글 씨 꽃

강 복 주

받아쓰기 하면 손이 떨린다
글씨가 춤을 춘다
흔들린 글씨 보고

선생님은 엄지 척!
힘들게 쓴 글자에서

풀냄새가 난다.

■ 김 영 옥

딸 둘 아들 둘 사 남매의 엄마.

손주 여섯의 할머니.

어딜가 든 남에게 피해 주지 말고

성실하게 살아라.

지금도 작은 아들은 엄마의 말씀이

기억나신다고 합니다.

■ 김영옥

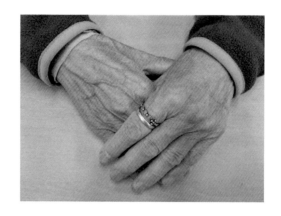

손

김영옥

머라를 빗어쭈는 손

밥을 먹여 주는 손

글을 쓰게 하는 손

옷을 입혀주는 손

내손아 사랑한다

■ 김영옥

친구

김영옥

내 친구 안경

눈이 번쩍 보인다

눈이 번쩍 한글이 보인다

나와 함께 하는 안경
학교도 함께 오는 친구다

■ 김영옥

제라늄

김영옥

내가 좋아하는

제라늄 꽃
사계절 다 피지요
우리 집안
환하고 행복하게 해주지요

■ 김영옥

학 교

김 영옥

무릎도 아프고 허리도 아프지만

학교 가는   길

발걸음이   가볍다

한글 배울 생각에

아픈 줄도 모르고⋯⋯

■ 김영옥

고 양 이

김 영옥

고양이 이놈!
텃 밭에 오지 가라
여기는 길이 아니야
상추 시금치 파 부추
파지 마라

■ 김영옥

아 들

김영옥

엄마 손에 크느라
고생 많았지...
글을 배워
아들에게 편지를 쓸수
있어 눈물이 난다.

■ 김 원 자

딸 셋, 아들 둘 오 남매의 엄마.
손주 일곱의 할머니.

남의 것에 욕심내지 마라.
다치지 말고 건강해라.
감사하게도 말한 대로
잘들 자라주었네요.

■ 김원자

행복한 손가락

김원자

맛있게 　김치 　담그고

열심히 　자식 　키우고

예쁘게 손주 키우고

무엇이든 척척 해내는

행복한 나의 손

■ 김원자

잡 곡이

김원자

우리집　잡곡이

말도　잘 듣지

우리집　잡곡이

대답도 잘 하지

야옹　야옹

■ 김원자

가 방

김원자

도시락 싸서 가방에 담아

친구에게 달려 간다

친구야 산에 가서

도시락 먹자

신난다 만나다

■ 김원자

가을

김원자

단풍잎   은행잎   우수수

쓸쓸한   내마음   울컥

이게좋아   저게   좋아

쓸 쓸한   내마음 어떻게 알고

조끼 하나   사입혀주는 큰딸

꼭꼭 숨 어라

김 원 자

네가   꽃이 냐

내가   꽃이 냐

누가   꽃인가 ?

딸과 함께 숨바 꼭질

못찾 겠다 꾀 꼬리

■ 김원자

자신감 만땅

김원자

한글 척척 영어척척
배움이 달다
스마트 폰 척척

딸이 말한다
우리 엄마 멋쟁이

■ 모 현 숙

딸 하나, 아들 하나 남매의 엄마
손주 셋의 할머니

건강해라
각자 꿈을 잘 찾고
하느님의 일꾼이 되기를 기도한다

■ 모현숙

사랑스러운 손

모 현숙

언제나 나를 따라 다니는

언제나 생각대로 움직이는

언제나 가려운 곳 긁어 주는

언제나 배고픈 배 채워주는

고맙다 사랑한다 영원히

■ 모현숙

은행나무

모 현숙

길가에 은행나무

언제나 제자리에

봄에는 초록 잎

가을에는 노란 잎

우리에게 즐거움을 주네

■ 모현숙

인생의 꽃길 속으로

모현숙

너무 늦은 줄만 알았네요

배움이란 것이 요상하네요

무릎이 아파도 자꾸 학교 오게 되네요

공부를 시작하니 하루 하루가

행복한 시간이 되었네요

나에게 쓴 편지

모 현숙

거울 속에 나를 보며

교만한 사람이 되지 말자

나를 낮추는 겸손 하자

친구를 사랑으로 감싸주자

현숙아 그동안 수고했다

■ 모현숙

산책 길

모 현숙

앞 서거니 뒷서거니 가는 사람들

앞서거니 뒷서거니 따라가 온다

손주 손 잡고 걸어가는 할머니

보고파라 보고파라 그리운 내 손주

손주 손 잡고 걷고 싶은 할머니

■ 모현숙

나의 꿈

모 현숙

가난으로 못 배운 공부
학교가 그리워
눈물 짓던 세월
70 넘어 이룬 나의 꿈
초등학교 졸업장
가슴에 안았네

◼ 송부돌

딸 하나, 아들 하나 남매의 엄마
손주 셋의 할머니

거짓말하지 말고
남에게 피해 주지 말아라
하는 일에는
성실하고 정성을 다해라

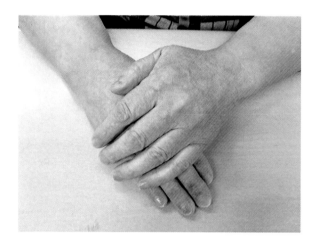

가을 같은 내손

송부돌

가을이 오면

은행 잎은 노랗게 물들고

단풍잎은 빨갛게 물들

내손은 김장으로 바빠져

빨갛게 물들고‥‥‥

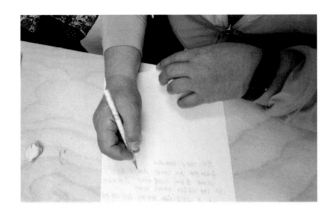

공 부

송부돌

글자가 보이니

세상도 밝아진다

가끔 게을러지는 마음 다져본다

꾸준히 참을성 있게 노력하게 하소서

밝은 내맘은 높이 날고 있다

■ 송부돌

멋진 나의 인생

송 부 돌

앞만 보고 살아온 인생
살다보니 그래도 좋다
해는 서산에 걸리고
잡을 수 없는 시간 이라도
살 다 보니 그래도 좋다

앞만 보고 살아 온 인생
살다보니 그래도 좋다
해는 서산에 걸리고
잡을 수 없는 시간이라도
살다보니 그래도 좋다

■ 송부돌

속리산 소풍

송 부 돌

처음 간 소풍

친구하고 즐겁게 사진 찍고

손깍지끼고

꽃구경 단풍구경 눈안에 가득 담고

머리속에 추억 가득 부자가 되었네

김 밥

송 부 돌

알록 달록 김밥

맛도 가지 가지

엄마가 만든 김밥

한결 같은 엄마 손맛

사랑의 맛 !

눈뜬 내모습

송부돌

눈은 뜨고 있지만

글을 읽을 수 없다

답답한 내 심정 누가 알랴

그러나 지금은 읽고 쓰고

내 마음을 표현 할수 있으니

하늘을 날아 갈것 같다

■ 신 영 자

아들 하나, 딸 둘 삼 남매의 엄마
손주 열 명의 다복한 할머니

남의 것은 쳐다보지도 말고
남의 것에 욕심내지 마라
검소하고 아끼고
저축하며 살아라

■ 신영자

반려 식물

신 영자

기쁨과 즐거움을 주는

고마운 내 친구

언제나 예쁘고 사랑스럽다

지친 나를 반기는 화분안의 녹보수

언제나 싱그러움을 주니 고맙다

■ 신영자

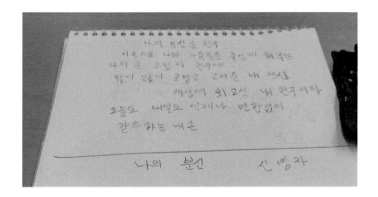

늦깎이 공부

신영자

삐뚤 삐뚤 글자가 춤을추네

마음대로 써지질 않네

힘이 없어 내 마음대로

써지지 않는 글자

자꾸 써보면 잘 쓸수 있겠지

■ 신영자

가을

신영자

낙엽이 지고 앙상한 나무

쓸쓸한 내 마음을 말해주는

아...겨울이 오는 소리

쓸쓸한 내 마음 달래주네

■ 신영자

서울 야경

신영자

둘째 딸 손녀와 서울 구경 갔었지

서울 시내 한바퀴 경치 좋고 기분 좋고

자식들과 함께라 더 좋았지

이런 날 언제 또 올까......

추억이 하나 더 쌓였지

■ 신영자

필통

신영자

항상 옆에 지켜주는 내 필통

친구이며 동행자이기도 하다

나와 함께한 세월 오래되었다

내가 늙어가듯 너도 낡아 가는구나

함께 가는 내 친구 사랑한다

■ 신영자

참 좋은 세상

신영자

배움을 알고 나니 참좋다

이름도 쓸수 있고 시도 쓸수 있다

은행가서 돈도 찾을 수 있어 참 좋다

자꾸 자꾸 배우고 싶다

알려주고 싶다

■ 이 영 임

아들 다섯의 엄마
손주 열한 명의 다복한 할머니

사람들과 싸우지 말고
남에게 피해 주지 마라
공부도 열심히,
무엇이든 열심히 해서
좋은 사람이 되어라

■ 이영임

보고 쇼다 친구야

이 영 임

봄이면 들로 산으로

쑥달렝이 캐고

진달래 꽃 머위 꽃도 들로 산으로

함께 뛰놀던 친구 지금는 어디에

안부전한다 친구야

손

이영임

사랑 스럽다

재주가 좋다....

맛있는 음식 만들어

아들 다섯 키워낸

자랑스러운 내손

■ 이영임

내 고향 우리집

이영임

탱자나무 울타리

가을이면 탱자나무

노랗게 익어가고

탱자나무 향기가

온 동네 진동하네

탱자나무 울타리

가을이면 탱자나무

노랗게 익어 가고

탱자나무 향기가

온 동네 진동하네

■ 이영임

공부

이 영 임

배움은 늘늙지 않아

배움이 있으면 언제나 청춘!

배움을 멈추면 그때는 늙음

배움은

젊음의 비결

■ 이영임

여 행

이영임

저녁에 받은 둘째아들 전화

엄마 바람 쇠러가요

여수 야경 유람선 오동도

가는 길마다 감탄이 절로

연락이 또 올까 기다려진다

■ 이영임

혼자서도 잘 해요

이 영 임

여보!

못 배운 나를 만나
답답 했지요.

한글 공부 하니 세상이 달라 보여요

당신이 도와 줘서 공부하게 되어

혼자서도 잘 할수 있어요.

◼ 이 위 자

아들 둘의 엄마
손주 셋의 할머니

시골에서 농사지으며 사느라
도시로 가서 공부하는
너희들과
대화하며 가르치고 살지를 못했지만
마음으로는
늘 스스로 잘 커주기를 바랐지
스스로 잘 커 주어서 고맙다

■ 이위자

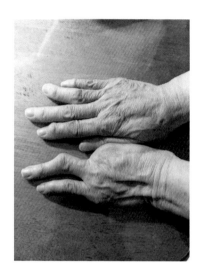

가슴 아픈 손

이위자

삼십년전 열 개였던
손가락 세 개 없는
세월 눈물로 보냈다
남은 손으로 살아온 세월
소중한 남은손....

■ 이위자

사 과 밭

이 위 자

없어서 안 되는 손
너무나 자랑 스럽다
농부로 삶을
가을이면 빠알간 사과
너무나 흐뭇하다

■ 이위자

노란 들꽃

이위자

걸기 운동 하다 만난
노란 들꽃!
칠십 넘은 나이에
들꽃처럼 예뻐 지고
싶은 마음은 청춘...

■ 이위자

갈 대

이 위 자

넓은들판 갈대밭
바람에 휘날리는 갈대
눈꽃처럼 떨어지는 갈대꽃

바람에 휘날리는 머리 결
살랑 살랑 얼굴을 스친다

넓은 들판 갈대밭

바람에 휘날리는 갈대

눈꽃처럼 떨어지는 갈대꽃

바람에 휘날리는 머릿결

살랑살랑 얼굴을 스친다

■ 이위자

단 풍

이 위 자

아름다운   가을
울긋 불긋 단풍잎 은행잎
어린 시절 보았던
울긋불긋 단풍잎 은행잎
지금은 갈수없는 동심의 세계

■ 이위자

시원한 마음

이위자

아들의 마음이 궁금하다

친구의 마음이 궁금하다

표현할 방법을 몰라서…
이제야 글로 표현할 수 있어서
답답한 마음이 뻥 뚫렸다

■ 임 납 금

아들 셋의 엄마
손주 다섯의 할머니

마음을 곱게 먹고
베풀고 살아라
좋은 일 하며
예쁘게 살아라

■ 임납금

꽃

잉납금

봄에 피는 꽃에는
나비가 찾아오지요
가을에 피는 꽃에는
우리가 찾아가요
단풍이 활짝 우리 같아서

■ 임납금

아침

임납금

환한 햇살이
온 세상을 비춘다
새로운 날이 시작된다
하루하루 감사하다

■ 임낙금

가을

임낙금

코스모스 꽃이활짝 피였습니다
선선한 바람으로

여름의 더위를 날려보내는

가을....

차가운 밤공기로
겨울을 떠오르게 하는 가을

■ 임납금

겨 울

임납금

낙엽이 떨어 지고
공기가 차가 워진다
눈이 내리기 시작 하면
겨울이 왔구나 느껴진다

낙엽이 떨어지고

공기가 차가워진다

눈이 내리기 시작하면

겨울이 왔구나 느껴진다

친구

임 납 금

필통, 연필, 지우개
친구들에게 안부 전한다
받아 보아라
글을 못쓰 는 나!
친구야 사랑 한다

배 움

임 납 금

석 달만 배우면 다 배울줄
알 았다.
일년 이년 배우니
이제야 좀 알것 같다
알것 같으니 배움이 맛나고
자신 감도 생겼다

■ 황 경 자

딸 둘의 엄마
손주 넷의 할머니

무엇이든 열심히 노력해라
잘 살아라

■ 황경자

손

황경자

자랑스런 나의 손

사랑스런 나의 손

소중한 나의 손

재주꾼 나의 손

네가 있어 행복한 나

서준이 백일

황경자

우리 서준이가 벌써 백일이네

백설기 예쁘게 차려 놓고

의자에 앉아 목도 잘 가누네

우루루 까꿍

포동 포동 서준이 건강해라

소풍

황 경 자

바쁘게 사니라 처음 갔어요

하남 평생 모범교육 센터에서

선생님 언니들과 함께 갔어요

맛있는 음식 멋진 경치

속리산 소풍 행복했어요

들꽃

황 경 자

학교 가는 길

빙그레 방긋 웃는 들꽃

내 인생 들꽃처럼

어여쁘게 살고싶다.

■ 황경자

감사

황경자

그러니까 감사

그럼에도 감사

그럴수록 감사

그것까지 감사

그립도록 감사

■황경자

빛나는 세상

황경자

시련 끝에 행복이 온다
어릴적 삶은
눈물의 손수건...
늦깎이 공부를 하니
가장 빛나는
샹들리에 세상이다

마치며....

웅성웅성
"아휴~ 난 못 혀, 시를 어떻게 써"
"그냥 선생님이 시키시는 대로 하면 돼요~~"
"아휴~~ 큰일이네.... 한글도 잘 모르는데 시는 무슨?."
디카詩 첫 시간.
디카시에 대한 설명과 누구나 할 수 있다는 자신감을 드리는데 1시간 반이 지났습니다.

시간이 거듭될수록 한글을 모르는 7,80여 년의 세월을 살아 내시느라 얼마나 힘드셨는지 그 애환을 어찌 몇 줄의 시로 담아낼 수 있을까 생각이 들 정도로 하실 말씀들이 너무도 많으셨습니다.

이제는 조금씩 눈이 트이니 세상이 보이고 온 세상이 감사의 마음으로 가득 차 매일매일이 행복하시다고 입을 모아 말씀하십니다.
맞춤법도 틀리고 모르시는 글자도 많지만, 선생님이 시키는 대로 하면 된다는 믿음으로 정말 열심히들 하셨습니다.

말도 안 되는 문구가 점점 어머님들의 마음 되고,
하고 싶으신 말씀이 되는 것을 보고 느끼시며

어머니에서 작가님이 되셨습니다.

첫 시간에 "이제부터 작가님이라고 부르겠습니다"
했을 때 어색해 하시던 모습은 찾아볼 수 없습니다.
서로에게 "김 작가님~, 임 작가님~ "부르시면 뿌듯해
하십니다.

이런 모습을 어머님들께 주고 싶어 이 시간을 어렵게
마련하신 박희숙 이사장님의 혜안에 경의와 박수를 보냅니
다.
제가 더 많이 느끼고 더 많이 배우는 시간이었습니다.
감사합니다.

이렇게 어머님들의 애환이 담긴 시집이 출간되었습니다.
엄마, 할머니에서 작가님으로 등단하는 작가님들께 뜨거운
응원의 박수를 보냅니다.
진정한 이 시대의 어른이십니다.

2023. 12. 24

지도강사 이윤경